ENIGMAS DIVERTIDOS

© de esta edición:
Editorial Alma
Anders Producciones S.L., 2019
www.editorialalma.com

Título original: *One-minute mysteries and brain teasers*
© de la edición original:
2007 Sandy Silverthorne y John Warner
Harvest House Publishers
Eugene, Oregon 97408
www.harvsthousepublishers.com

Título original: *Return of the one-minute mysteries and brain teasers*
© de la edición original:
2009 Sandy Silverthorne y John Warner
Harvest House Publishers
Eugene, Oregon 97408
www.harvsthousepublishers.com

Concepto editorial:
Anders Producciones S.L.

Diseño e ilustración: Berta Porta

Maquetación y revisión:
LocTeam, S.L.

ISBN: 978-84-17430-79-5
Depósito Legal: B-11002-2019
IBIC: WD

Impreso en España
Printed in Spain

El papel de este libro proviene de bosques gestionados de manera sostenible.

MODO DE EMPLEO

1

Llévatelo contigo a todas partes

2

Empieza por donde quieras

3

Puedes jugar solo o en compañía

4

Disfruta del momento, a veces es bueno hacer una pausa

5

Formato de usar y reciclar

6

Consulta las pistas para resolver los enigmas

5 REGLAS PARA COMPLETAR TU RETO

REGLA 1	Puedes jugar solo o acompañado. ¡Cuanta más gente seáis, más disfrutaréis de estos enigmas!
REGLA 2	Si jugáis en grupo, debéis elegir a una persona como jefe del caso y el resto sois detectives. El jefe del caso lee el enigma en alto y consulta la solución sin mostrarla a los demás.
REGLA 3	El resto de detectives pueden hacerle preguntas al jefe del caso, que responderá "sí" o "no", o con una frase del tipo "no importa" o "reformula la pregunta".
REGLA 4	Para averiguar la solución debes hacer preguntas, de forma parecida a como lo harías en el juego del veo veo.
REGLA 5	Si los detectives se quedan atascados, el jefe del caso puede darles las pistas que necesiten. Si investigas estos misterios por tu cuenta, el apartado de las pistas te puede servir como guía.

UNOS CONSEJOS ANTES DE EMPEZAR...

○ Comienza con preguntas de carácter general. Tendrás la tentación de lanzarte e intentar adivinar la respuesta, pero es probable que estés equivocado. Es mejor que empieces con una pregunta general y, a medida que vayas avanzando, podrás hacer preguntas más específicas.

○ Corrobora tus suposiciones. Si un enigma no dice algo de forma muy clara, no lo asumas sin más. Si el jefe del caso no puede responder a tus preguntas con un "sí" o un "no" y te pide que las reformules, quizá estés partiendo de una suposición falsa.

○ Los cinco sentidos son importantes en estos enigmas. Haz preguntas sobre ellos y no olvides comprobar lo contrario de lo que habías observado inicialmente.

○ Deshazte de los falsos indicios. Observa cada elemento del enigma y pregúntate si es importante. De esta forma podrás centrar tus preguntas en los detalles relevantes.

○ Pregúntate si se trata de una trampa. A veces los enigmas no son tan evidentes como parecen y te están haciendo creer algo que no es cierto.

○ Aplica el pensamiento lateral: sé creativo y abre la mente. Si has agotado todas las posibilidades y no sabes por dónde tirar, utiliza la imaginación y plantéate el problema desde una nueva perspectiva.

LAS COSAS NO SON LO QUE PARECEN

Estos acertijos de lógica para resolver en 1 minuto son pequeños rompecabezas que describen una situación insólita y tu tarea es averiguar lo que ocurre en ella. Es posible que los enigmas parezcan tener un carácter abierto y muchas respuestas posibles, pero el objetivo es dar con la solución más satisfactoria, esa que aparece de pronto cuando se te enciende la bombilla y dices "iAjá!".

No se necesitan conocimientos especiales para dar con la clave de los enigmas. Leer cada enigma te llevará menos de 1 minuto y, a continuación, puedes tomarte tu tiempo y disfrutar del proceso detectivesco. ¿Tiene sentido tu respuesta? ¿Estás satisfecho con ella?¿Podría funcionar mejor otra respuesta? En ese caso, consulta la primera pista para ver si la respuesta sigue teniendo sentido y si vas por el buen camino. Continúa avanzando por las pistas de esta forma, y si de pronto tu respuesta deja de encajar, empieza de nuevo. Si llegas a la última pista y tu respuesta sigue siendo válida, comprueba la solución al final del libro.

Un consejo: no dejes que las ilustraciones te confundan. Normalmente reproducen hipótesis divertidas pero incorrectas y no pretenden ser más que un placer para la vista.

Y, ahora, ino lo pienses más y sumérgete en el caso!

Una de las grandes desventajas de la prisa es que lleva demasiado tiempo.

Gilbert Keith Chesterton

LLAMADA DE UN DESCONOCIDO

Rex se sorprende cuando suena el teléfono, porque no está esperando ninguna llamada. Responde y anota un mensaje. Lo extraño es que ni conoce a la persona que ha llamado ni al destinatario de la llamada. Nunca conocerá a ninguno de ellos.
¿Qué está pasando?

 PISTAS

- o Rex estaba trabajando.
- o Estaba en un lugar público.
- o No era su teléfono personal.

LUCES Y SOMBRAS

Bien entrada una noche oscura, William pasa en coche por un barrio desconocido. Ve apagarse una farola e inmediatamente sabe que la bombilla no se ha fundido.
¿Cómo lo sabe?

 PISTAS

- William no había estado nunca en ese barrio.
- No faltaba la bombilla y no se volvió a encender.
- Era una noche oscura y tormentosa.

NO TAN FUERTE

Un hombre guarda sus objetos de valor en cajas fuertes. Nadie le ha visto nunca introducir una combinación, y nunca ha escrito una ni se la ha revelado a nadie. Cuando abre una de sus cajas fuertes, se sorprende al descubrir que se lo han robado todo. La caja fuerte no estaba dañada y estaba bien cerrada.

¿Cómo la abrió el ladrón?

 PISTAS

- o El ladrón no tenía habilidades especiales para forzar la caja.
- o El hombre tenía una memoria desastrosa.
- o El ladrón no necesitó combinación.

CAMBIO DE SENTIDO

Rod empezó a conducir su coche hacia el oeste. Sin cambiar de sentido ni detenerse, al poco rato se dirigía hacia el este.
¿Cómo es posible?

PISTAS

- Rod nunca giró el volante.
- Esto no implicaba ningún truco ni conducir boca abajo.
- Los neumáticos de Rod no se separaron del pavimento en ningún momento.
- El lugar donde esto ocurre es importante.
- No conducía sobre tierra, pero sí en la Tierra.

COLADA EXTRAVIADA

Brian se había propuesto averiguar por qué tenía el cajón lleno de calcetines desparejados. Si llevaba a cabo una breve investigación desentrañaría la misteriosa desaparición de los calcetines en la colada, estaba convencido. Finalmente, Brian consiguió resolver el caso de los calcetines perdidos.

¿Cómo lo hizo y qué es lo que pasaba?

 PISTAS

- o La secadora estaba estropeada.
- o Sólo faltaban los calcetines de colores brillantes.
- o Los calcetines extraviados habían sido robados.

FUGA DE DINERO

El coche de un hombre ha sido forzado media docena de veces en las últimas semanas. Cada vez que ocurre pierde dinero. El dueño compra algo que cuesta sólo un par de dólares y, a partir de ese momento, dejan de forzar el coche.

¿Qué compra?

 PISTAS

- Compra un recipiente.
- Conoce a la persona que fuerza su coche.
- El dinero no fue robado.

EL SEXTO SENTIDO

Ben es un astuto estafador. Ha convencido a un grupo de científicos de que tiene habilidades especiales. Para poner a prueba sus afirmaciones, primero lo meten en una habitación solo y luego suprimen sus cinco sentidos. Durante la prueba no puede usar la vista, el oído, el olfato, el tacto ni el gusto. En un momento dado, no especificado previamente, envían a su ayudante a la habitación. Como por arte de magia, Ben es capaz de decir cuándo entra. Los científicos están desconcertados. ¿Cómo lo hace?

PISTAS

o La ayudante forma parte del engaño.

o Hay algo sobre su ayudante que puede sentir.

o Ben no puede oler, pero sigue pudiendo respirar.

COLEGA, ¿DÓNDE ESTÁ MI COCHE?

Ken observa los cristales rotos esparcidos por la carretera en el lugar donde estaba aparcado su coche la noche anterior. Ken no tiene ni idea de quién se llevó el coche o a dónde lo llevaron, pero está bastante seguro de que será capaz de encontrarlo.

¿Por qué?

 PISTAS

o Ken no tenía forma de rastrear el coche.

o No necesitaría la ayuda de la policía.

o No habían dejado pistas.

o Buscaría el coche él mismo.

o El coche no estaría muy lejos.

NADA QUE GANAR

A pesar de que Charles fue el más rápido en una carrera, no consiguió el primer puesto.
¿Por qué no?

 PISTAS

- Charles era un atleta normal y corriente.
- Otros atletas finalizaron la carrera antes que él.
- Habría ganado el primer puesto en circunstancias diferentes.

SIN DEJAR HUELLA

Un ladrón sabía que la policía podía usar las huellas halladas en la escena del crimen para identificar al culpable, así que fue extremadamente cuidadoso. En realidad, ni siquiera había podido tocar nada aún cuando oyó un ruido que venía del piso de arriba. Huyó rápidamente por la puerta trasera y no dejó ninguna huella que lo relacionara con el delito.
¿Por qué fue arrestado por allanar la casa?

 PISTAS

- El ladrón no dejó ninguna pista en la casa.
- Nadie lo vio entrar ni salir de la casa.
- Al ladrón no le preocupaba haber dejado huellas dactilares.
- Entró por la puerta principal y salió por la puerta trasera.
- Dejó algo fuera de la puerta principal.

PERDER LOS SENTIDOS

Una afección denominada sinestesia provoca que se mezclen los cinco sentidos: oído, vista, tacto, gusto y olfato. Por ejemplo, las personas pueden oír colores, ver sonidos o saborear un roce. Missy no tiene sinestesia pero, con los ojos cerrados, pudo oler un color y probarlo con sólo tocarlo.

¿Qué está sucediendo?

PISTAS

- Literalmente olió un color y lo probó al tocarlo.

- La mayoría de la gente puede hacerlo.

- Identificó qué era por su olor.

- No lo tocó con las manos.

OBJETOS PERDIDOS

Al entrar por la puerta, Brad estuvo a punto de tropezar con su esposa, que estaba arrodillada con la cara a pocos centímetros del suelo. "Oh, Brad", dijo haciendo un mohín. "Se me ha caído el diamante de la alianza y lo he perdido. Llevo horas buscándolo. Nuestra casa es tan grande que podría estar en cualquier sitio." Brad la cogió entre sus brazos con calma y le dijo que todo iría bien. "Apuesto a que encontraré tu diamante en el primer sitio en el que lo busque."

¿Cómo se las arregló si no tenía ni idea de dónde estaba el diamante?

 PISTAS

o No tiene nada que ver con parquímetros ni límites de tiempo.

o Jay no sabía que recibiría una multa.

o Le pusieron una multa por estacionar en un lugar que no debía.

o Estuvo estacionado durante mucho tiempo.

o Algo cambió mientras él no estaba.

DESBANCADOS

Un hombre esperaba sentado en su coche y escuchando un escáner de
la radio de la policía mientras su compañero atracaba un banco. Sabían
el paradero exacto de la policía, pero aun así los atraparon.
¿Cómo es posible?

PISTAS

- o La policía no sabía que los atracadores tenían un escáner.
- o Los atracadores se hubieran salido con la suya si no hubieran
  usado el escáner.
- o La información que oyó el hombre en el escáner no es importante.
- o Fue muy sencillo detener a los atracadores porque cometieron
  un error.
- o No podían ir muy lejos en su coche de fuga.

NOVILLOS

Carl viaja a menudo por asuntos de trabajo. En este viaje en particular, en lugar de ir a la reunión de negocios a la que sus empleadores esperaban que asistiera, fue al centro comercial, al cine y a un buen restaurante, y pasó el resto de la tarde en la piscina. Cuando sus jefes se enteraron, no lo despidieron.

¿Por qué no?

 PISTAS

- Sus jefes estaban disgustados.
- Carl estaba haciendo su trabajo.
- Otra persona se metió en un lío.
- ¿Qué trabajo tiene Carl?

AL FINAL DE LA ESCAPADA

Samuel conducía a toda velocidad, giró en una esquina y vio a un agente de policía sentado en su coche patrulla y apuntándole con el radar de velocidad. En vez de disminuir la velocidad, ¡Samuel aceleró aún más! El agente encendió las luces, ordenó a Samuel que se detuviera y le puso una multa. Samuel no era un delincuente y no estaba intentando escapar. ¿Qué estaba pasando?

 PISTAS

- o Samuel no tenía prisa por llegar a ningún lado.
- o Samuel no se imaginaba que le pondrían una multa.
- o Sabía que iba a demasiada velocidad y merecía una multa.
- o Normalmente superaba el límite de velocidad en esta carretera sin que le pusieran ninguna multa.
- o El oficial de policía que normalmente estaba de servicio nunca había detenido a nadie.

DÍA DE PERROS

Cuando Billy abrió la puerta, su perro Scruffy se escapó. "Genial, volveré a llegar tarde a la parada del autobús." Billy dejó la bolsa en la acera y corrió detrás de su perro. Unos minutos más tarde, con el perro en brazos, Billy vio a un hombre que se dirigía hacia su casa, cogía la bolsa y se iba con ella. Billy volvió a meter al perro dentro de casa, y cuando llegó el autobús, se montó.

¿Qué estaba pasando?

 PISTAS

- El hombre es un desconocido.
- La huida de Scruffy es irrelevante.
- Esto ocurre todos los días.

EL INTRUSO

Jennifer vive sola y tiene el único juego de llaves que hay de su casa. Supo que había alguien en el interior antes de entrar en su casa. Enseguida llamó a la policía con el móvil y denunció a un intruso. La puerta no presentaba señales de haber sido forzada.

¿Cómo lo supo?

PISTAS

- La puerta principal es la única forma de entrar en la casa.
- Había algo diferente en la puerta.
- No podía haber hecho esto ella sola.
- No podía entrar en su casa.

Y YO CON ESTOS PELOS

James llevaba el mismo corte de pelo desde hacía casi diez años. Sus amigos le animaron a probar algo nuevo pero, cuando lo hizo, James se disgustó mucho.
¿Por qué?

 PISTAS

- James no se cortó el pelo de forma diferente.
- James intentó dejarse el pelo más largo.
- James es un hombre de cierta edad.

NO BAJES LA GUARDIA

Un guardia de seguridad del turno de noche roba una obra de arte de valor incalculable del museo en el que trabaja. Aunque no tiende ninguna trampa para incriminar a otra persona, sabe que se saldrá con la suya. ¿Cómo es posible?

 PISTAS

- El guardia no sustituyó la obra de arte por una imitación.
- No tenía previsto robar la obra de arte.
- Sigue yendo a trabajar tras el robo.
- Durante el robo se dejaron muchas pruebas.
- Acusaron a otra persona del robo, aunque el ladrón no le hubiera tendido una trampa.

APARCA COMO PUEDAS

Jay aparca el coche en una zona de la calle donde no está prohibido aparcar. Cuando regresa al coche, se da cuenta de que tiene una multa de estacionamiento en el parabrisas.

¿Cómo es posible?

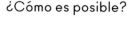

 PISTAS

o No tiene nada que ver con parquímetros ni límites de tiempo.

o Jay no sabía que recibiría una multa.

o Le pusieron una multa por estacionar en un lugar que no debía.

o Estuvo estacionado durante mucho tiempo.

o Algo cambió mientras él no estaba.

AGUANTA LA MIRADA

Aunque inicialmente Sam fuera conocido como un debilucho de voz nasal, su mirada le granjeó muchas victorias en el Concurso Nacional de Aguantar la Mirada. Llegó a la final y, con el gran premio frente a él, estaba seguro de su victoria. Las reglas eran simples: la primera persona que parpadee, pierde.
¿Cómo se aseguró Sam el triunfo?

 PISTAS

○ Hizo trampa.

○ Tenía tapones en la nariz.

○ Hizo que su contrincante cerrase los ojos.

DINERO NEGRO

Mientras pasea por una calle de la ciudad, Lucas ve una cartera sumergida en un charco de barro. Recoge con cuidado la sucia y empapada cartera y se sorprende al ver que está repleta de dinero. No le parece honrado quedarse con el dinero, pero no puede leer la identificación del interior. ¿Qué hizo para encontrar a su legítimo dueño?

 PISTAS

- El dinero tiene algo diferente.
- Comprueba tus suposiciones sobre por qué Lucas no podía leer la identificación.
- Lucas vive en una gran ciudad en la costa Este de Estados Unidos.

AL LORO

El loro que Darlene tiene como mascota sabe imitar perfectamente el sonido del teléfono y del timbre de la puerta. Sin embargo, Darlene sabe si alguien llama de verdad al teléfono o al timbre de la puerta.
¿Cómo puede saberlo?

 PISTAS

- o Ni la ubicación del pájaro ni el volumen importan.

- o Tampoco importa el momento del día.

- o Darlene no puede diferenciarlos sólo con oírlos.

- o De todos modos, no oye muy bien.

- o Darlene puede diferenciarlos al ver algo que no era el loro.

ÚNICO TESTIGO

Aaron se detiene en un semáforo en rojo. Detrás de él, dos hombres enmascarados con un montón de dinero encima saltan a una camioneta y se van en la dirección opuesta. Aaron llama al 091 y da una descripción del vehículo de fuga. "Están conduciendo una furgoneta verde de la marca Volkswagen. La matrícula es AITIMAVIV, y la luz trasera derecha está rota." La policía nunca logra capturar a los atracadores del banco. ¿Cómo es posible?

PISTAS

- La policía no encontró ningún vehículo con una descripción que encajara con la de Aaron.

- La descripción de Aaron no era correcta.

- Aaron estaba mirando hacia delante cuando vio la situación.

ESPEJITO, ESPEJITO

¿En qué caso verías en un espejo algo distinto a tu propio reflejo?

 PISTAS

- La respuesta no tiene nada que ver con espejos semirreflectantes, dobles ni con ningún aspecto mágico.

- No ves ningún tipo de reflejo.

- Piensa en ver algo diferente al mero cristal de un espejo.

¿CUÁL ES TU EMERGENCIA?

Susan decidió llamar a una vieja amiga durante la pausa del almuerzo, pero cuando lo hizo le contestó una mujer del servicio de emergencias de la localidad.
¿Por qué?

PISTAS

- La amiga de Susan no trabajaba para el servicio de emergencias.
- Susan llamó por accidente al 112.
- Susan llamaba desde el trabajo.

PISANDO FUERTE

Paul conduce por la autopista con frecuencia. Esta vez, se queda perplejo porque nadie parece conducir al límite de velocidad. Finalmente se da cuenta de lo que pasa.
¿Y tú, lo sabes también?

 PISTAS

- La autopista no tiene mucho tráfico.

- Esto ocurre en un tramo de la autopista que no tiene entradas ni salidas.

- Paul observa a la gente que va a una velocidad inferior y superior al límite de velocidad.

- Ocurre cuando la gente conduce a una velocidad constante.

UNA ENDEBLE CAJA FUERTE

El señor Dunson era un hombre muy rico que había oído rumores de que le iban a robar. Anticipándose al inminente saqueo, decidió reemplazar su caja fuerte por un modelo posterior cuya impenetrabilidad estaba garantizada. Una mañana, mientras tomaba café, el señor Dunson se dio cuenta de pronto de que había cometido un error. Más tarde, al entrar en su oficina, vio que la caja fuerte seguía cerrada, pero sabía que ya le habían robado.

¿Qué ocurrió?

 PISTAS

- La instalación de la nueva caja fuerte no es relevante.
- Sabía que le habían robado porque podía ver su caja fuerte.
- El ladrón no descubrió la caja fuerte hasta después de haber cometido el robo.
- Tiene una caja fuerte de pared.

SUERTE DE BICHO

Un buen día, a un hombre se le metió un insecto en el ojo y, gracias a eso, consiguió una cita.
¿Por qué?

PISTAS

o Una mujer estaba mirando al hombre.

o La mujer no sabía que al hombre se le había metido un insecto en el ojo.

APARCA A TODA PASTILLA

Heather pasa a toda velocidad por delante de un policía que está parado en una moto. Supera de largo el límite de velocidad. El oficial la detiene y le entrega una multa de estacionamiento.
¿Cómo es posible?

 PISTAS

- o Heather recibió por parte del policía un apercibimiento a causa del exceso de velocidad.

- o El policía no la había visto aparcar de forma irregular.

- o La multa de estacionamiento se había emitido una hora antes.

SIETE DÍGITOS

—No sé su número —dijo Jared.

—Bueno, dámelo cuando lo averigües —dijo su madre.

El amigo de Jared estaba de vacaciones fuera de la ciudad, por lo que no podía preguntarle su número de teléfono.

Jared buscó en la guía telefónica, pero su número no estaba incluido. Posteriormente, al no tener suerte, se dio por vencido.

—Siento no poder ser de más ayuda, mamá, pero sigo sin saber su número.

—¿De qué estás hablando? —preguntó—. Ya me has dado el número.

¿Cómo pudo ocurrir?

 PISTAS

- Jared nunca encontró el número de teléfono.

- ¿Para qué necesitaría la madre de Jared el teléfono de un amigo que no estaba en la ciudad?

- Jared estaba hablando por teléfono con su madre.

¿Cuál es tu número?

LEY Y ORDEN

Si aquel delincuente no hubiera sido tan ordenado, seguramente se habría salido con la suya.
¿Qué ocurrió?

 PISTAS

- o Hubiera tenido éxito de haber sido desordenado.

- o Lo que robó no costaba mucho dinero, pero era valioso.

- o Algo que él quería que ocurriera no ocurrió.

- o El ladrón dejó una nota de rescate.

INDISTINGUIBLES

Una mujer encuentra dos cajas decoradas con aspecto de ser muy caras. Las dos cuestan lo mismo. Dedica unos minutos a inspeccionarlas y comprueba que son idénticas. Luego compra deliberadamente una en lugar de la otra.
¿Por qué?

 PISTAS

- Ambas son auténticas.
- Ninguna de ellas tiene una tara.
- Las cajas son visualmente idénticas.

LA LLAVE DEL ÉXITO

A Betty le encantaba salir a correr con su perro cada mañana, pero le resultaba un incordio llevar las llaves de casa. Su ropa de correr no tenía bolsillos y a su esposo no le parecía seguro esconder una llave fuera. Intentó llevar la llave colgada al cuello, pero era demasiado molesto. La enganchó al collar de su perro, pero se caía y la perdía. Al final, a Betty se le ocurrió una alternativa muy ingeniosa.
¿Qué hizo?

 PISTAS

- Betty no se llevó una llave ni la dejó en un lugar poco seguro.
- La llave estaba en un lugar al que un ladrón no podía llegar.
- La llave estaba en un lugar al que Betty no podía llegar.
- El perro de Betty era muy obediente.

ATRÁPAME SI PUEDES

Un ladrón roba una gran suma de dinero. No denuncian el robo, pero le detienen por su delito.
¿Cómo es posible?

 PISTAS

- Nadie vio el robo.
- El ladrón no dejó ninguna prueba.
- El ladrón fue detenido por gastar el dinero.
- El dinero no estaba marcado, no se habían registrado los números de serie y no era una divisa extranjera.
- Había un buen motivo para no denunciar el robo.

TU NOMBRE LO DICE TODO

—Hoy he visto a tu novio, Aaron —dijo Meagan con una maliciosa sonrisa.

—¿Mi novio? — preguntó Sharon—. Nunca te he hablado de Aaron, ¿no?

—No, nunca —Meagan tomó un sorbo de café.

—¿Nos habías visto juntos, o tal vez una foto? ¿Cómo sabías cómo era? ¿Has hablado con él? —dijo Sharon con un gesto de incredulidad.

—No, nunca os he visto juntos. No tenía idea de cómo era, y tampoco he hablado con él. Pero, aunque nunca me dijiste su nombre, su nombre me dijo que era tu novio.

¿Cómo puede ser?

 PISTAS

- Aaron no llevaba encima su nombre.

- Sharon llevaba encima el nombre de su novio.

- Aaron llevaba encima el nombre de Sharon.

- El nombre estaba en un corazón.

UN TIEMPO PARA OLVIDAR

Una mujer se vuelve más despistada durante los meses de invierno por culpa de su coche.
¿Cómo es posible?

 PISTAS

- Se despista cuando entra en el coche.
- Tiene que ver con dónde se deja cosas.
- El tipo de coche que tiene es importante.
- Conduce un descapotable.

LLAMADA PERDIDA

Trisha llama a su casa desde el trabajo y deja un mensaje en el contestador automático. No comparte piso con nadie y tampoco se está dejando un recordatorio para sí misma.
¿Qué está pasando?

 PISTAS

o Trisha no llamaba por error y no estaba haciendo ninguna prueba.

o No había nadie en su casa ni tenía previsto que fuera nadie.

o Un vecino llamó a Trisha a su trabajo y se quejó.

o Su mensaje fue oído y provocó una reacción.

CARRETERA CORTADA

Muchas carreteras antiguas disponen de barreras para poder cortarlas durante el invierno, cuando la nieve acumulada las hace inaccesibles. Un guardabosques trabó una barrera en pleno verano, durante la época del año en que la carretera estaba más transitada.
¿Por qué?

 PISTAS

- Era seguro transitar por la carretera.
- La barrera estaba trabada porque era temporada alta.
- La gente seguía viajando por la carretera.
- La carretera no estaba cerrada.

EL NUEVO EQUIPO DE SONIDO

A Adam recientemente le han instalado un nuevo equipo estéreo en la furgoneta, pero sigue escuchando música con los auriculares.
¿Por qué?

 PISTAS

- Adam conduce solo.
- El equipo estéreo funciona perfectamente.
- Adam conduce por trabajo.
- Está usando el equipo estéreo.

INTERROGATORIO

Sammy era un atracador de bancos convicto con fuertes lazos con la mafia y muchos conocidos en el mundo del hampa. Un día, Sammy fue visto en el escenario de un importante atraco a un banco. Fue identificado por más de una persona. Más tarde, en un interrogatorio policial, Sammy perdió los estribos y amenazó con usar sus contactos. Después de muchas horas de interrogatorio, Sammy se fue de la comisaría sin cargos y muy satisfecho de sí mismo.
¿Qué hizo?

 PISTAS

- Sammy era inocente.
- Apareció después de que se cometiera el delito.
- A raíz del interrogatorio se detuvo a otra persona.

AQUÍ HAY GATO ENCERRADO

Tim vio a su gata llevando un ratón y dejándolo delante de sus cachorros. Al principio, los cachorros no sabían qué hacer con el ratón, pero pronto empezaron a jugar con él. Más tarde, para su sorpresa, Tim encontró al ratón tirado en el patio.

¿Por qué los gatos no se lo comieron?

 PISTAS

- Los cachorros ya eran lo suficientemente mayores como para comer ratones.

- El ratón no era comestible.

- No era un ratón de juguete.

- No era un animal.

LA PÁGINA EXTRAVIADA

Nick y Mike hojearon la andrajosa guía telefónica que habían cogido de la cabina:

—No me fastidies —gruñó Nick— falta la página que necesitamos. ¡Pasa de la página 119 a la página 122!

—Sé dónde está la página que falta —dijo Mike sonriendo.

¿Dónde estaba?

 PISTAS

- Mike no vio la página que faltaba.

- No fue necesario que los chicos salieran de la cabina telefónica para encontrarla.

- La página no había sido arrancada.

- Las páginas impares siempre están a la derecha.

SAQUEO DE MODA

Lenny robó algunas prendas de ropa en una tienda. Olvidó quitar los dispositivos de seguridad y cuando pasó junto a un escáner saltó una alarma. No obstante, el guardia de seguridad no lo detuvo.
¿Por qué no?

 PISTAS

○ El guardia de seguridad podía ver la ropa robada.

○ El guardia de seguridad estaba presente y no distraído.

○ No importa quién es Lenny ni qué tipo de ropa robó.

○ El guardia sabía que Lenny no había robado nada de la tienda.

CANCIÓN TRISTE DE CUMPLEAÑOS

El día del cumpleaños de Benjamin llegó sin fiesta, sin tarta, sin regalos y sin canciones. Nadie dijo siquiera "feliz cumpleaños". Benjamin no le pidió a la gente que ignorase su cumpleaños.
¿Qué estaba pasando?

 PISTAS

- Benjamin está vivo, sano y es un ser humano.

- Su familia y amigos sabían que era su cumpleaños.

- A Benjamin le daba igual su cumpleaños.

- Su edad es importante.

UNA MULTILLA POR COTILLA

Mientras conducía prudentemente por la carretera, Frank estaba horrorizado con lo que hacían el resto de conductores a su alrededor. Vio a un agente de policía estacionado, así que se detuvo para expresarle su inquietud. El agente escuchó atentamente a Frank y luego procedió a ponerle una multa. Frank había estado conduciendo sin superar el límite de velocidad, su coche estaba matriculado y funcionaba perfectamente, y no estaba intoxicado.
¿Qué está pasando?

 PISTAS

o Los otros coches de la carretera no estaban haciendo nada malo.

o Frank era un anciano y estaba un poco confundido.

o Frank estaba haciendo exactamente lo que creía que los otros coches estaban haciendo.

EL ARCA DE NOÉ

Un barco está lleno de diferentes animales, agrupados por parejas. Los depredadores y las serpientes están tranquilamente junto a los insectos y los mamíferos.
¿Cómo puede ser?

 PISTAS

- En realidad, no tiene nada que ver con el arca de Noé.
- Los animales no están enjaulados ni encerrados.
- Cada animal va acompañado de al menos una persona.
- El trayecto en ferri es relativamente corto.
- Una vez en el barco, los animales no se mueven.

EXPRESS

A MANO DESARMADA

Harry entrega el recibo a un guardia de seguridad de servicio a la salida de una tienda. "Todo está en orden. El dependiente debe de haber vuelto a olvidar quitar algún dispositivo de seguridad. No se preocupe por la alarma. Puede salir", dice el guardia mientras le hace señas para que pase. No obstante, Harry sale con una bolsa llena de mercancía robada. ¿Qué está pasando?

 PISTAS

- El dependiente no se olvidó de quitar ningún dispositivo de seguridad de los artículos.
- El recibo era de Harry y era completamente auténtico.
- El guardia no se fijó en un importante detalle del recibo.
- Todo lo que Harry robó estaba en el recibo.
- Harry fue a la tienda dos veces ese día.

NADA QUE ENSEÑAR

Steve rellenó una solicitud para una matrícula personalizada. Indicó su primera opción, pero no pudo pensar en nada para su segunda opción, así que escribió "nada" en el formulario. Por desgracia, unas semanas después, Steve recibió las placas de matrícula con "NADA" impreso en ellas. Resultó que el hecho de tener "NADA" como matrícula resultó ser todo un tema.
¿Qué ocurrió?

 PISTAS

- Steve no estaba contento.

- No le estaban tomando el pelo.

- Steve comenzó a recibir multas de estacionamiento.

- Las multas no eran suyas.

- Nadie más tenía "NADA" como placa de matrícula.

PRIMERA CITA

Una amiga de Kati le organizó una cita a ciegas con un chico llamado Chris. Como los dos son muy aficionados al fútbol, decidieron ir a ver un partido. Se lo pasaron genial y los dos estuvieron de acuerdo en que deberían salir juntos de nuevo. Al día siguiente, el teléfono sonó en la habitación de Kati. Ella vio que era Chris el que llamaba, pero no cogió el teléfono.
¿Por qué no?

 PISTAS

- A Kati le gustaba Chris de verdad.

- Kati tenía una buena razón para no coger el teléfono.

- Kati y Chris eran muy aficionados al fútbol.

- Kati no pudo coger el teléfono.

CON LAS MANOS EN LA MASA

Un ladrón se afana por cubrirse las manos para no dejar huellas dactilares, pero este esfuerzo acaba provocando que lo condenen por su delito. ¿Cómo es posible?

 PISTAS

- El ladrón no tenía guantes.

- Se cubrió las manos con algo que era cómodo.

- Llamaron a un experto en huellas dactilares.

- El ladrón mantuvo las manos cubiertas todo el tiempo.

- Se quitó los zapatos.

¿UN CASO DE AMNESIA?

Después de sufrir una experiencia traumática, James abrió los ojos en un hospital. No sabía quién era ni cómo se llamaba. Había allí personas que decían ser su familia, pero no reconocía a ninguna de ellas. Las cosas no volvieron a ser lo mismo, pero se adaptó a su nueva vida. Nunca llegó a recordar su vida anterior y jamás habló de ella.
¿Qué había pasado?

 PISTAS

- James no tuvo un accidente, no sufrió ninguna lesión y tampoco tenía amnesia.

- James no había visto nunca a aquella gente.

- James no sabía su nombre porque no lo había oído nunca.

PASEO DE LA VALENTÍA

A Kevin le encanta pasear por el parque durante la noche. Sabe que es arriesgado, pero él se siente seguro al ir con su perro. Una noche, su linterna se estropeó. No podía ver nada, pero no estaba para nada preocupado. ¿Cómo puede ser?

 PISTAS

o El perro de Kevin no le ayudó a encontrar el camino.
o Kevin había memorizado la ruta.
o Estaba acostumbrado a pasear en la oscuridad.
o No era consciente de que la linterna se había fundido.

ILUMINA TU CAMINO

La linterna de Mark estaba funcionando en la oscuridad, pero aun así él no podía ver en lo que estaba trabajando.
¿Cómo puede ser?

 PISTAS

- Mark no es ciego.
- No estaba trabajando en algo muy pequeño.
- Él era el que tenía la linterna.
- No necesitaba ver muy lejos.
- Estaba sujetando aquello en lo que estaba trabajando, pero la linterna no lo iluminaba.

DEPÓSITO VACÍO

Robert condujo hasta la gasolinera y le dijo al encargado: "Llénelo, por favor". A continuación, se marchó. Media hora después se quedó sin combustible.

¿Qué ocurrió?

 PISTAS

- Robert no condujo más que unos pocos kilómetros.

- El depósito no tenía fugas.

- No estaba conduciendo cuando se quedó sin combustible.

HUMOR DE PERROS

El perro de Ed suele escurrirse por debajo de la verja y colarse en el patio del vecino! El viejo Koffer le amenaza continuamente con llamar a la perrera si Baxter vuelve a poner una pata en su propiedad. Por suerte para Baxter, el señor Koffer se había marchado de vacaciones de verano y no volvería hasta dentro de tres meses. Cuando volvió, Ed se tuvo que enfrentar a su enfadado vecino: "¡Creía que te había dicho que no quiero a ese perro en mi patio!". El perro de Ed no había vuelto a pisar el patio del señor Koffer desde el día en que éste se marchó de viaje.

¿Cómo pudo saber el anciano que el perro había entrado en su patio?

 PISTAS

o No había nada roto.

o El señor Koffer no tenía cámaras de vigilancia.

o Baxter no se había llevado nada, pero se había dejado algo.

o Lo que se había dejado Baxter no pesaba nada.

DE TARDE EN TARDE

Allison está esperando en la parada de un autobús urbano. Llega tarde al colegio. El tablón de horarios indica que el bus pasa cada diez minutos. Tras esperar algunos minutos, se va sin subirse a ningún bus.
¿Por qué?

 PISTAS

- No tiene ninguna otra forma de llegar al colegio.

- Llega al colegio y ya no estaba allí.

- Tomó un autobús, pero no tomó un autobús posterior.

UN LIBRO SINGULAR

Un hombre tiene un cuaderno que vale miles de dólares. Pero cada vez que el hombre abre el cuaderno, su valor se reduce. Es consciente de este hecho, y sabe que lo prudente sería conservarlo, pero aun así sigue devaluándolo.
¿Por qué?

 PISTAS

- Su valor aumenta y disminuye.
- El cuaderno no es antiguo.
- El cuaderno se puede sustituir fácilmente.
- Escribe en el cuaderno.

¿UN ROBO?

Ben le dice a un agente de policía que se produjo un robo en su casa la noche anterior. "¿Qué le falta en casa?", le pregunta el agente. "Nada que yo sepa", responde Ben.
¿Cómo sabe entonces Ben que le han robado?

 PISTAS

- Habían robado algo.
- No habían dejado ninguna pista.
- No faltaba ningún objeto de la casa.
- Habían robado todo lo que tenía Ben.
- ¿En qué tipo de casa vivía Ben?

¿ROJO O VERDE?

Un semáforo de Siracusa, en el estado de Nueva York, tiene la luz verde arriba y la roja abajo. Su historia se remonta a la década de 1930, cuando los inmigrantes irlandeses que se mudaron a la zona no soportaban ver el rojo británico sobre el verde irlandés, por lo que arrojaban piedras al semáforo. Los funcionarios de la ciudad se cansaron de reemplazar continuamente la lámpara roja y decidieron instalar un semáforo con la luz verde en la parte superior. Kevin, que es daltónico y no conoce la historia, se está acercando a este cruce. La luz roja que brilla en la parte inferior del semáforo parece verde a sus ojos. Kevin conduce solo, y no hay más coches en la carretera, pero aun así se detiene por completo. ¿Por qué?

 PISTAS

- El cruce no tiene señales ni advertencias.
- Kevin está confundido.
- Sólo es importante el semáforo.

 EXPRESS

EL BANCO ADECUADO

James no estaba satisfecho con su actual caja de ahorros. No ofrecía mucha seguridad, tenía unos intereses nefastos y el servicio al cliente era deplorable. Decidió retirar todos sus fondos y fue directamente al primer banco que encontró. A pesar de todas las dificultades que había sufrido con su caja de ahorros anterior, no se molestó en averiguar cómo era este banco en comparación.
¿Por qué no?

 PISTAS

o James no sabía nada del nuevo banco.

o James no estaba siendo imprudente.

o Su antigua caja de ahorros tenía una clientela muy reducida.

PÁJARO EN MANO Y CIENTO VOLANDO

El clima era el mismo que los años anteriores, pero algunos pájaros volaban hacia el norte para pasar el invierno. Normalmente viven en el sur durante esta época del año.
¿Qué estaba ocurriendo?

 PISTAS

o No ocurre habitualmente.

o Los pájaros no querían volar hacia el norte.

o Estos pájaros no vuelan hacia el sur para pasar el invierno.

o Era la primera vez que estos pájaros volaban, pero no se trataba de polluelos.

SOLUCIONES

E 01 LLAMADA DE UN DESCONOCIDO

Rex trabaja para la compañía de telefonía. Justo acababa de reparar un teléfono público cuando éste empezó a sonar. La persona que llamaba le explicó que allí debía estar un amigo suyo. Rex apuntó un mensaje y lo puso en la cabina.

E 02 LUCES Y SOMBRAS

Todas las luces que había en la calle se apagaron al mismo tiempo.

E 03 NO TAN FUERTE

La caja fuerte se abría con una llave y no con una combinación. El ladrón encontró la llave.

E 04 CAMBIO DE SENTIDO

Rod conducía por un portaaviones. Durante este tiempo, el barco hizo un giro de 180°.

E 05 COLADA EXTRAVIADA

Una tarde, al volver del colegio, Brian se sentó pacientemente para observar cómo se secaba la ropa en el tendedero. En un momento dado vio a un pájaro acercarse volando y llevarse un calcetín de color brillante. Por supuesto, Brian encontró cerca un nido construido con los calcetines que había perdido.

E 06 FUGA DE DINERO

El hombre compró un recipiente para ocultar una llave de repuesto. Estaba cansado de pagar al cerrajero para que le abriese la puerta del coche cuando se dejaba las llaves dentro.

E 07 EL SEXTO SENTIDO

Ben es muy alérgico al perfume que lleva su ayudante. Aunque no puede oler el perfume, le provoca un brote de alergia.

E 08 COLEGA, ¿DÓNDE ESTÁ MI COCHE?

Ken sabía que su coche tenía muy poca gasolina y que el ladrón no habría podido conducirlo más allá de un par de manzanas.

E 09 NADA QUE GANAR

Charles participaba en una carrera de relevos. Fue el corredor más rápido pero su equipo quedó en segundo puesto.

E 10 SIN DEJAR HUELLA

El ladrón no quería dejar huellas, así que puso los zapatos sucios en el felpudo de la entrada principal. Más tarde, la policía le encontró husmeando y merodeando por el barrio en calcetines. Los zapatos sucios que habían encontrado le quedaban como un guante.

E 11 PERDER LOS SENTIDOS

Missy olió una naranja y la tocó con la lengua.

E 12 OBJETOS PERDIDOS

Brad aspiró toda la casa y comprobó el contenido de la aspiradora. Por supuesto, el diamante estaba justo donde él pensaba que estaría.

E 13 DESBANCADOS

El escáner de la radio de la policía gastó la batería del coche de fuga y no pudieron seguir conduciendo.

E 14 NOVILLOS

A Carl no le despidieron porque estaba haciendo su trabajo. Es guardaespaldas de la hija de sus jefes. Sin embargo, la hija se metió en un lío por haberse saltado una importante reunión de negocios.

E 15 AL FINAL DE LA ESCAPADA
Samuel sabía que la policía local había puesto un maniquí imitando a un agente en un coche de policía para que disuadiese a los conductores de exceder el límite de velocidad. Por desgracia para Samuel, ese día había un agente de policía real en el coche.

E 16 DÍA DE PERROS
Billy estaba sacando una bolsa de basura a la acera por la mañana, antes de ir al colegio.

E 17 EL INTRUSO
Jennifer supo que había un intruso en su casa porque la cadena de la puerta estaba cerrada por dentro.

E 18 Y YO CON ESTOS PELOS
Durante los últimos años, James se ha estado afeitando la cabeza, pero cuando prueba a dejarse el pelo largo, se da cuenta de que no puede porque se ha quedado calvo.

E 19 NO BAJES LA GUARDIA
Esa noche, un ladrón trató de robar en el museo, pero el guardia lo ahuyentó. El guardia aprovechó la situación, consciente de que todas las pruebas apuntarían al ladrón.

E 20 APARCA COMO PUEDAS
Durante el largo rato que Jay dejó el coche aparcado, unos trabajadores de la carretera pintaron de amarillo el bordillo junto a su coche. El lugar donde había aparcado de forma correcta se había convertido en una zona de estacionamiento prohibido.

E 21 AGUANTA LA MIRADA
Antes de las competiciones, Sam se pone tapones en la nariz y se cubre la

ropa con pimienta. A su contrincante le llega la pimienta a la nariz y le provoca un estornudo, cerrando por un momento los ojos.

E 22 DINERO NEGRO

La cartera está llena de yenes, así que Lucas la lleva a la embajada japonesa, donde serán capaces de encontrar al dueño legítimo.

E 23 AL LORO

Darlene es una persona mayor y padece problemas de oído, así que tiene una luz que parpadea cuando suena el teléfono o el timbre de la puerta.

E 24 ÚNICO TESTIGO

La situación impactó a Aaron. No se dio cuenta de que describió la furgoneta tal como la veía reflejada en su retrovisor. La matrícula era en realidad VIVAMITIA (VIVA MI TIA) y era la luz trasera izquierda la que estaba rota.

E 25 ESPEJITO, ESPEJITO

No verías tu propio reflejo si miraras dentro de un espejo de baño con armario.

E 26 ¿CUÁL ES TU EMERGENCIA?

Susan llamó a su amiga desde el trabajo, pero olvidó marcar el "1" para llamar fuera de la empresa. El teléfono que pretendía marcar era 221-222-333, pero por error marcó dos "1" acabó llamando al teléfono de emergencias 112.

E 27 PISANDO FUERTE

Paul conduce al límite de velocidad, así que no puede ver a los muchos otros coches que van a la misma velocidad que él. La mayoría de coches que ve van o más rápidos o más lentos que él.

E 28 UNA ENDEBLE CAJA FUERTE

El señor Dunson se dio cuenta de que quizás el contenido de su caja fuerte no estaba en peligro, pero el valioso cuadro que colgaba ante ella sí. Tenía razón: habían robado el cuadro.

E 29 SUERTE DE BICHO

La mujer pensó que aquel hombre le estaba guiñando un ojo.

E 30 APARCA A TODA PASTILLA

El policía le devuelve una multa de estacionamiento que había salido volando del parabrisas de Heather al pasar por delante de él.

E 31 SIETE DÍGITOS

Jared estaba cuidando la casa de su amigo. Cuando llamó a su casa para hablar con su madre, el número de teléfono del amigo apareció en la pantalla del teléfono de su madre.

E 32 LEY Y ORDEN

El ladrón robó una reliquia familiar y dejó una nota de rescate en su lugar. Dejó la casa exactamente como la había encontrado, y sus víctimas no se dieron cuenta de que les había robado.

E 33 INDISTINGUIBLES

Las cajas de música eran iguales a simple vista, pero cada una reproducía una canción diferente. La mujer compró la caja que emitía la canción que más le gustaba.

E 34 **LA LLAVE DEL ÉXITO**

Betty ató la llave de casa al juguete favorito de su perro y lo dejó en casa. Después del paseo, le dijo al perro que fuera a por su juguete. El animal entró en casa a través de la puerta para perros y volvió con el juguete y la llave.

E 35 **ATRÁPAME SI PUEDES**

El ladrón no sabía que había robado dinero falso y le detuvieron cuando intentó usarlo.

E 36 **TU NOMBRE LO DICE TODO**

Sharon tiene un corazón tatuado en el hombro con el nombre de Aaron. Megan vio a un hombre con un tatuaje idéntico, pero con el nombre de Sharon, y supo que tenían que ser pareja.

E 37 **UN TIEMPO PARA OLVIDAR**

Durante el invierno, cuando la capota está subida, coloca cosas sobre el coche mientras abre la puerta y, con frecuencia, se las olvida ahí. Durante el verano, como la capota está bajada, deja las cosas en el coche antes de entrar.

E 38 **LLAMADA PERDIDA**

Tras recibir la llamada de un vecino quejándose de los ladridos de su perro, Trisha llamó a su propia casa y le dijo al perro "¡Silencio!" a través del contestador.

E 39 **CARRETERA CORTADA**

El guardabosques trabó la barrera en la posición elevada para que nadie pudiera cerrarla.

E 40 EL NUEVO EQUIPO DE SONIDO

Adam escucha música a todo volumen en sus auriculares para bloquear la desquiciante melodía repetitiva que reproduce de forma continua en el equipo estéreo de su furgoneta de venta de helados.

E 41 INTERROGATORIO

Años atrás, tras cumplir una condena por atraco de bancos, Sammy decidió abandonar la delincuencia. Ahora era un agente de policía que estaba interrogando a un sospechoso, y no al revés. Sammy había amenazado al sospechoso con usar los contactos que tenía en el cuerpo de policía, y estaba encantado porque había logrado que por fin el delincuente confesase el atraco del banco.

E 42 AQUÍ HAY GATO ENCERRADO

La gata de Tim había encontrado un ratón de ordenador roto.

E 43 LA PÁGINA EXTRAVIADA

Como las páginas impares siempre están a la derecha y las pares a la izquierda, las páginas que faltan, 120 y 121, no pueden faltar realmente porque forman parte de las mismas hojas que las páginas 119 y 122. Mike se dio cuenta al momento y supo que las páginas tenían que estar pegadas.

E 44 SAQUEO DE MODA

Lenny robó las prendas de ropa en una tienda diferente. Cuando entró en esta tienda saltó la alarma, pero el guarda le dejó entrar.

E 45 CANCIÓN TRISTE DE CUMPLEAÑOS

Era el día en que nació Benjamin.

E 46 UNA MULTILLA POR COTILLA

Frank le dijo al agente de policía que muchos coches iban contrasentido en la carretera, pero por desgracia era el propio Frank quien iba en dirección contraria.

E 47 EL ARCA DE NOÉ

Un ferri transporta coches y pasajeros al otro lado del lago. Muchos coches tienen nombres de animales: Fiat Panda, AC Cobra, De Tomaso Pantera, Ford Puma, Volkswagen Escarabajo y Jaguar.

E 48 A MANO DESARMADA

Harry sí que había comprado todo lo que había en el recibo, pero lo había hecho unas horas antes. Más tarde volvió a la tienda y robó todos los artículos que había comprado hacía un rato. Ahora Harry tenía dos artículos de cada, todo un chollo: dos por el precio de uno.

E 49 NADA QUE ENSEÑAR

Steve comenzó a recibir cientos de multas por correo. Al parecer, cuando un agente ponía una multa a un coche que no llevaba matrícula, escribía "nada" en ese apartado. El juzgado tenía por fin un lugar donde enviar todas aquellas multas de estacionamiento sin pagar.

E 50 PRIMERA CITA

Kati se quedó afónica de tanto gritar en el partido de fútbol y, por eso, no podía hablar por teléfono.

E 51 CON LAS MANOS EN LA MASA

El ladrón se cubrió las manos con los calcetines. No se dio cuenta de que las huellas de los dedos de los pies le podían incriminar tanto como las de los dedos de la mano.

E 52 ¿UN CASO DE AMNESIA?

James acaba de nacer.

E 53 PASEO DE LA VALENTÍA

Kevin es ciego, así que usaba la linterna para que los demás lo vieran a él.

E 54 ILUMINA TU CAMINO

Mark estaba intentando ajustar la correa de la linterna, pero la luz de la linterna no sirve para iluminarse a ella misma.

E 55 DEPÓSITO VACÍO

Tras llenar el depósito, Robert se dirigió a casa para ponerse con la cena. Por desgracia, antes de que pudiese acabar la barbacoa se le acabó el gas propano.

E 56 HUMOR DE PERROS

Las huellas de Baxter se habían conservado en el hormigón que el señor Koffer había puesto en el patio el día que se fue de vacaciones.

E 57 DE TARDE EN TARDE

Allison ya estaba en el autobús, que se había parado para recoger a otros pasajeros.

E 58 UN LIBRO SINGULAR

Cada vez que un hombre abre su cuaderno de cheques y firma uno, reduce su saldo bancario.

E 59 ¿UN ROBO?

Habían robado la autocaravana de Ben con todo lo que llevaba dentro.

E 60 ¿ROJO O VERDE?

Cuando Kevin se acerca al cruce, la luz parece ir de rojo a ámbar y a verde. Sabe que normalmente el ámbar precede al rojo, así que se detiene por precaución.

E 61 EL BANCO ADECUADO

James sabía que ninguna caja de ahorros sería mejor que su hucha.

E 62 PÁJARO EN MANO Y CIENTO VOLANDO

Un grupo de pingüinos iban volando en un avión desde el Polo Sur hasta un zoo de América.

¡Bien hecho!

Ya puedes elegir tu próximo reto:

Y recuerda: ¡un cuadrado Express
te aleja del estrés!